Moli a Meg

mynd am
dro ...
i'r fferm

Christa Richardson

Argraffwyd yn wreiddiol yn 2018
Argraffwyd yr argraffiad newydd cyntaf yn 2020
Ail argraffwyd yn 2021

Cyhoeddwyd yng Nghymru yn 2021 gan CAA Cymru, Adeiladau'r Fagwyr,
Llanfihangel Genau'r Glyn, Aberystwyth, Ceredigion SY24 5AQ

Ariennir yn rhannol gan Lywodraeth Cymru fel rhan o'i rhaglen gomisiynu
adnoddau addysgu a dysgu Cymraeg a dwyieithog

Argraffwyd a rhwymwyd yng Nghymru gan Argraffwyr Cambria, Aberystwyth

ISBN: 978-1-84521-636-8

Mae cofnod catalog ar gyfer y cyhoeddiad hwn ar gael yn Llyfrgell Genedlaethol
Cymru a'r Llyfrgell Brydeinig

Cydnabyddiaethau
Diolch i Sarah Davies, Chloe Edwards, Siân Pryce Edwards a Sharon Jones am
eu harweiniad gwerthfawr

www.atebol.com

Dyma Moli.

Dyma Meg.

Mae Moli a Meg yn ffrindiau da.

Mae Moli a Meg
yn mynd i'r fferm.

4

Mae Meg a Moli
yn gweld yr iâr yn y cwt.

Maen nhw'n bwydo'r iâr.

Mae Meg yn casglu wyau o'r cwt.
Un, dau, tri, pedwar, pump, chwech wy.

Mae Moli yn rhoi'r wyau
yn y bocs yn ofalus.
Yn ofalus iawn!

Mae Moli a Meg yn hoffi mynd i'r fferm.

Hwyl fawr, Moli!
Hwyl fawr, Meg!